[法]
西蒙娜·德·波伏瓦
著

沈珂
译

青春手记
V

上海译文出版社

Cahiers de jeunesse
1926-1930
V

趁人不备盗取秘密，这是最卑鄙的事。

我常常会因为自己言多必失而苦恼，若有人读这些手记，

无论是谁，我永远不会原谅。

这是一种丑陋恶劣的行为。

请遵守这一提醒，尽管如此郑重其事有些可笑。

Simone de Beauvoir

十月三十一日星期一

和宝贝蛋、庞蒂一起散了步。

只要在二十二岁的时候通过教师资格考试，然后写一本书，我觉得就够了。接下来，我便可以从青春中解放出来，获得非比寻常的学问，开始实现自己的人生。需要做点什么。没错，我也是……或许唯有行动才能使自我存在，我需要我自己。不再失去自由。而是要拯救自由，并与自由同在；自由地选择；存在。我开始进行一种更高层次的修行。前两年，我已经完成了第一步。我需要一本书来标记这一点。明天，我要与若尔热特·列维谈一谈。无论如何，我都会写。我不断取得进步。再也不会在厌倦与冲劲之间摇摆不定，我获得了内心的平静、自信，选择一条没有幸福可言的艰苦之路。

十一月二日星期三

在列维的鼓励下，我继续写书。最后会像我之前说的那样。我想要一个伟大的人生。我会做到的。

十一月八日星期二

"我若是上帝，一定会对众生抱有恻隐之心。"[1] 阿德里安伯伯的事，父亲颓丧，母亲绝望，宝贝蛋筋疲力尽，她觉得自己制造了那么多痛苦，但其实不是她的错，而且他们口出恶言……我还坚持着，态度强硬，隐约记得邦达的"圣职授任礼"。我不想要这种共情，除了让自己感到压抑外，毫无用处。我写我的书。可为什么这个世界没有善意呢? 众生必须学会做善良的人，单纯的善良，即便那么多小人物因为一句粗鲁的话而暴跳如雷，也要善良。我会很坚强，但我也会很善良。在我心里，我爱他们一定比他们爱我更多。

---

[1] 莫里斯·梅特林克，《佩莱亚斯与梅丽桑德》(1892)。——原注

十一月二十六日星期六

上了巴吕兹的课。我不喜欢很多人聚在一起。他们都让我失望。我说的不是莫格和蓬特雷莫利，我看不起他们。他喜欢我，可那又怎样？列维离我很遥远，巴吕兹也是。米盖尔非常了不起，坚强、孤独。他永远不会知道我对他深深的情意。我想见见庞蒂。我厌烦得很，一个人，很孤单。行动，写作，传播我的思想，就像昨天糊里糊涂参加的那场讲座一样。不要让自己被他们的无知、软弱或伟大所影响。我很强大。可是……可是什么？不，没什么。

十二月三日星期六

我读了巴吕兹的《圣若望》[①]。"要去一处未知之地,必须经由一处未知之地。"很高兴见到庞蒂。我马上还要见到劳特曼和蓬特雷莫利,他们不会让我动摇。因为我已经是孤零零一个人了。我了解他们,也喜欢他们,但不会依赖他们。我将在"响亮的孤独"中继续内心这场伟大的冒险。我又回到了两年前的那个夜晚,爱情让我的人生轨迹发生了偏离,但现在我回来了,变得更有经验、意志力更强。远离他人,远离自我,才能找回内心深处的自我,它会给予我一切,尽管我不知道什么时候。一切都很好。我听到自己向上的声音。

[①] 《圣十字若望与神秘经历的问题》(1924)。——原注

十二月八至九日星期四、星期五

　　不断地与自我抗争，并且无往不胜，这真是一件伟大又美好的事。足足两个月了，我对爱情说"不"。他等待着，有一天他有权利变得更加强大。既然他是最强大的，他就有权利变成那样。我要对你说：对不起。对普鲁斯特和他的间歇性发作，我一笑置之。他反抗思想和意志，这是现实。我的雅克！这一切过去之后，我才发现他比任何时候离我的心都更近。"雅克……雅克，你好。"我流下了轻松的眼泪，我没有听到自己向下的声音。不，这份孤单，我不再对它抱有幻想，因为我的爱就在这里，犹如我想成为一名伟大的画家或者一位伟人似的……必须是我整个自我在向上。在你身边……可以这样幻想，因为你能变成你如今的样子。我结婚，同时工作，我会有美好的人生。而圣十字若望呢？为什么不呢。经过这样的一场考验，我确实赢了，包括我的爱情与我自身。这两者并不矛盾。

我有些过于幸福了。对不起，亲爱的，我受之有愧。"雅克……雅克，你好。"哦！过去的一滴滴泪水沿着我的脸庞悄然落下。我的爱人……

十二月十一日星期日

原本以为早已消散的过去突然回来了，心口一紧，但又充满温情……书房，长廊，拂过头发的手，等待，沉默，一切的一切，还有未曾说出口的承诺……哦！我的爱人，我业已平息的爱火那么沉重，那么美好，你值得这些。拉福格、巴雷斯、绘画突然重新绽放了。"我找回了去年的那种心境。"悲伤又在向我袭来，我已经全副武装。可又能怎样呢？我爱你。

一九二八年

他在这个世界上，犹如一个要离开的人。这便是他为何残忍的秘密。他发觉阴谋，揭露出他身边一切小幸福都是骗局。

——阿兰-傅尼耶

你是否真的认同这件可怕的事：不努力寻求幸福？

——里维埃

起风了。要努力生存！……

——瓦莱里[①]

[①] 《海滨墓园》（1920）最后一节诗的首句。——原注

一九二八年一月十二日

四分之一块蛋糕吃掉了①。竟然完全没有注意到，或者说，几乎没注意。还剩下一半，每吃一口都能感觉到少了一些。剩下的，不知不觉就没有了。况且，这一切都不重要。"苍白的瓦斯科的微笑……"②我不会去大洋洲。我不会被影响。我不会重新走上圣十字若望一样的道路。我吃饭，睡觉，写书，或者生孩子。一切开始了：第一阶段，二十岁到四十岁……要好好想一想该如何实现。四十岁到六十岁。我与这本手记定下一个二十年之约，一天都不错过。一定会一如往常！我不再感到悲伤，一切都在意料之中。必须……要有伟大的冒险，巨大的牺牲。我会通过教师资格考试，那些伟大的冒险都会变得渺小。兰波在我这个年纪已经出发，而拉福格还在哭泣。我把拉福格记在心里。我在电影里看到了一些黑人。哲学是一种与之相处太久会感觉无趣的游戏。所有人都会感受到厌恶。《思想》吗？哦！还在继续，不过我不参与。有些人，我还是很喜欢的，不过只有我自己才能感觉到嗓子口的异样。过早的精神错乱？这会是一种令人羡慕的办法……获得自由的我能做什么？若是我努力地活着……可我是在德西尔学校成长起来的。只有雅克才会明白。纸张很精美，所以我才会写。面对不可绕过的前路，我们都是渺小的。这一点，我已经说过无数遍。

---

① 1 月 9 日，西蒙娜·德·波伏瓦度过了她二十岁的生日。——原注
② 影射马克·夏杜纳的小说《瓦斯科》（1927），它以马拉美的《致旅行的唯一担忧》中的两句诗作为题铭："他的歌声直抵／苍白的瓦斯科的微笑。"——原注

一九二八年一月二十日

　　有人对我说：让自己幸福吧，你不是一个幻象——这便是问题所在。某样东西意味着什么，什么都没有又意味着什么？天空是蓝色的，我要学会爱自己一点。哦！无精打采地醒来，没有欲望、没有爱的生活，一切都被耗尽了，竟然这么快。可怕的烦恼。又有人对我说：让自己理性一些。可是，亲爱的朋友，我质疑的正是我的理智。太冲动吗？唉！他们走得更慢，因而可以抱有一些小的希望。我不能。不过，这不会持续太长时间。我想要的是什么？我能做到什么？什么都不要，什么都不能。哦！太哲学了，一个人说。还不够哲学，另一个人说。总喜欢在所有人面前展示自己最不讨好的一面。这并不是问题所在。生活与我不相称，只有这一点才是确定的。哦！坚韧的小人物，小人物！我甚至不喜欢我自己。我睡了。我耗尽了所有思想，一切对我来说都毫无用处。可我无法吃，无法睡，但还是要睡。这里又出现了别的事，总有意料之外的……我们重新开始。哦！还没有形成一种生命系统。这三年没有，这三天更没有。我的书呢？虚荣心而已……哲学吗？有一种现象称为过饱和……爱情吗？太累人了。

不过天气很好。梅洛-庞蒂今早很温柔体贴。一本好书就是一件好事。重新抬起头。重新开始。为三月的考试做准备。尽力完成哲学课。还有一些要读的书，要完成的作业。直到通过教师资格考试为止。重新开始思考。思考很好。还要写作，写作也很好。还有你那丰富的精神世界呢？啊！我拥有的只有精神世界，它会变成我想要的那样，而相信这一点，无比美好。我再也无法入眠。无论如何，我还是惊叹于这些伟大的存在。我珍视我自己。只有我自己。无需掩饰。我摆脱了所有这些人间琐事，多么让人惊叹，我已经完全做好了迎接人生之主的准备！写在这里，降落到我内心更深处。我的生活中掺杂了万事万物。你来我身边吧。爱情重燃了。维克多·库辛图书馆①里静悄悄的，很敞亮。我会暗暗地努力，让自己的生活充实起来……

---

① 索邦大学的哲学图书馆。——原注

一月二十三日星期一

太好了，他活着，看到他的脸，我才会感到快乐。不再关乎爱情，我可以一个人，我不再怨恨这件事，很可笑，因为我期待了太多次。这是照耀我内心的一种存在。我认识一些人和他一样聪慧，一样敏感，一样讲究，但他是我的唯一。只要再见他一面就好，这样生活才能重新成为一种有力的现实。他干得太漂亮了！只有他……只有他才会做出那些荒谬的行为，才会有那些幼稚却又严肃的想法，有实现宏伟蓝图的计划，有能成为伟大冒险的小动作，当他来回徘徊的时候，一场悲剧正露出它的笑脸，一句话从那些一本正经的人口中吐出——疯狂！愚蠢！……对我来说，没什么比这更真实的了，两天来，我看着这些发生，如同自己经常亲身经历的一样。我想要把他的肖像画下来。我不会。昨天从作坊出来，我去了蒙马特。在悄无人烟的黑夜里，看着那些闪闪的灯牌，我心里有说不出的焦虑……一个人，啊！如此孤单。不，我的上帝！不会的，不会单单是这样的！难道不是吗，您不想要这样，这是不可能的，不可能……我害怕，难过，很难过，啊！一些人想要靠近我，因为我站着，靠着一块石头，哭得太厉害，之后我慢慢地走着，飘着几朵浅蓝云彩的明亮星空与这里的每一丝微光相映成趣，我想让它们都走进我的心里。

风刮着，凉飕飕的，我坐下，寒冷笼罩着我。圣心大教堂关门了，原本脆弱的我还想进去待一会。我坐在台阶上，虔诚地祈祷，面前是这个到处闪烁着广告牌的巴黎，太美了，是谁把沉默的魔鬼放在这里？为谁而放？……男人们嬉笑着，女人们悄声交谈。以前总有些安静的地方、狭窄的街道、绘画、小酒馆、歌手，还有一些人开着车来，完全不知道大恐怖的来临，我想到了那些我认识的人，那个纯粹的、很单纯的朋友，严肃又年轻，那么年轻……还有你，这个世上我唯一付出一点爱的人。我离所有人都太远，无可挽回，除了不为人知的那位人生之主，或许他根本就不存在，谁知道呢，他在天上或是在我心里——无论在我内心还是在我周遭，我都听不到任何回应。当一个人耗尽撕心裂肺的呼喊时，他怎能不朝死亡迈近呢？我在这些风景如画的小路上慢慢平静下来，我热爱生命，因为我只拥有生命。继续走。每一间酒吧，每一间剧院，每一间蛋糕铺，都是一位不曾搭讪又无比熟悉的朋友。幻想还在继续，计划也同样。来来往往的行人都是我的兄弟姐妹。

今天，天气真好！我如此热爱生活！依旧在卢森堡公园散步。索邦大学，是能让我感到快乐、坚定我的意志、承载我青春、让我好好读书的地方。我怀着疯狂的欲望，最初的梦想，相信世间万物、普世众生都会获得完全的自由。除了杀人，还有什么是我不会干的？我笑着想，他们一点也不知道我的心里藏着一个热情、荒谬又乐天派的魔鬼。我与所有人都不同，不去弄明白，离所有的一切远远的，表面却装得乖巧可爱，这让我觉得很有趣！我想要做一些疯狂的事！你的微笑总能不断地带给我温暖，才能让我在星期六的晚上心里乐开了花，飘飘然起来。若没有你，我该怎么办，是你为我重新创造了生命！你是那么与众不同。阿兰-傅尼耶、瓦斯科、梅纳尔克，他们都生活在一个非现实的世界里，如此确定又被束缚，如此有男子气概又那么孩子气，他们是游戏的组织者，永远不会允许自己的将来成为一段段香肠被人吃掉，因为没什么可干的。这间"学习的书房"！会用来做什么？不重要了，想起它便是件美好的事，起码不像一场游戏……这些年轻人用信件来忏悔，这种方式很功利，他们还向我询问客观的意见……相信雅克，还好我们之间有一种深切又熟悉的存在，与他的生活、想象交织在一起，这些想法让我那些"亲爱的"朋友们很是惊讶，若尔热特·列维一点也不理解……疯狂又明智，那么自由又受人控制，慷慨又严肃……他是唯一重要的人，他创造了一种生活方式，每种姿态都是一种形而上的思考——无法替代，不可捉摸，完美。

一月二十八日星期六

　　星期三和宝贝蛋一起去看了"独立人"展①。晚上又见到了雅克。昨天，我又难过起来。我读到傅尼耶和里维埃《书信集》的末尾，很悲伤。里维埃冷淡、残酷，我不像之前那么喜欢他了，他不停地思考，结交朋友，达到目标——他那么聪明，可还是被控制着，总操心那些无用的东西，无法理解他那位深陷痛苦中的兄弟。我也想象过你们的生活，我的朋友们，尤其是那位说"我在这里，就像一个马上要离开的人"的朋友，这种残忍，痛苦、无言的反抗，是针对所有懂得生存的人的……我的兄弟！不过至少，他说，我会把自己的生活变成一个伟大的梦。他的一切都让我感动。我也一样，我也会将自己的生活变成一个伟大的梦。所有在我生命里出现过的人，都会变成我曾经见到他们的样子！有什么关系，就是以这样的方式，他们才能在我心里永存。我犹豫了，不知所措。里维埃批评傅尼耶过于被动，而他自己也承认，大个子莫林是一位了不起又可怕的天使，我们不应该去模仿他：必须渴望幸福，但这本身就是一件难事。里维埃的这句话不禁让我战栗，我似乎已经能预感到，他会说，永远结合在一起的人他们之间的秘密是多么沉重。但这一切真的如此吗？在他们激昂的青年时期，已经要求过这么多，却收到了这个！多么不幸！在生活中慢慢屈从，细小的忧虑，渐渐消减的热情——我不想这样，我不想！我的心里总会有这样的一种冲突，无法解决：我强烈地意识到自己的力量，与其他所有人相比而言的优势，以及我能做的事，我能在一群男人之中占据重要位置——这不是幻觉，我很确定，还有采取行动、实现可能之事、肯定自我的欲望，一股股涌起的热情……而同时又感觉到所有这些都是完全无用的，没有一项目标值得付出努力——消极、冷漠，甚至算不上是一种对这些虚妄的极大厌恶，而更近似一种无所谓，对不断呈现在我面前的死亡的无所谓，死亡离我这么近……"我就像一个马上要离开的人。"这份冷漠！

是的，这颗心是赤裸裸的，被撕开，脱离了一切，并不是被一种内在的力量拉开，仅仅是因为不再有任何真实的东西，一切都如同我屈从但不投身其中的一场游戏，因为我看到它的

---

① 自1884年开始每年在巴黎举办的艺术展。——原注

背景是纸糊的。巴吕兹的课程作业怎么办？我不在乎……对蓬特雷莫利的喜爱呢？我不在乎……与梅洛-庞蒂长时间的讨论呢？我也不在乎……我觉得他热情、自信，而我呢，这一切都发生在我之外。他曾给了我真实的感觉，可这一切又消失得无影无踪。在这个一无是处的世界里，我又剩下点什么呢？我可以付出一点努力，像我之前希望的那样，能够真正地燃起意愿，悲惨地活着，可我知道，厌烦的那一瞬间，对我来说，又会像无用的游戏中一个单纯的片刻那样——我去年就已经说过：我是观众，而不是演员，我不参与生活，关我什么事？我又想到了傅尼耶……他拒绝所有的软弱和渺小……我也一样。我无法严肃认真地对待任何事，所有的一切都透着不真实，我没看到：我的每一分钟都充斥着我的缺席。很奇怪的一种病，但又不是大事。难道我就不会发现一些令人感动的存在吗？只有一件事是必需的，我过于依赖它，其他任何事情都无法让我克制我自己，而这件事，我想是完不成的了。我并不是厌倦，也不是痛心，我可以在冷漠中永恒地活下去。

只有其他人相信世界是现实的，我也才会相信。有了这样一种共同的意愿，才能产生幻觉。或许这种冷漠源自孤独，但我想，我一直会很孤独，而我最爱的另一个人对我来说也只会像梦里的孩童。我没有欲望，但也不满足。这无法长久。（但写到这里，我感到内心用冷漠武装的硬壳终将被撬开，我永远无法知晓我本以为会出现的以后会不会出现，因为当我们只能依靠自己的意志来创造一些价值时，一旦这种意志消退，那么一切都会被否定，不仅对当下而言，对过去也是一样。）

人生中的成功？我笑了，如同去年，我为自己被接受而哭泣一样！一切在我眼里都是那么幼稚、渺小的逗趣，我已经长大了，不再把这些当回事。这就像别人给我一件可以把玩的玩偶一样。很简单：我不再拥有爱情，没有什么比爱情更真实。

我不想这样！我才二十岁，我想要好好活着。然而，还有什么比这更好的呢，你的手拉着我的手，我们一起死去，甚至还不止，我们各自闭上眼睛，然后滑向……我记得，两年前，当我突然非常想念那些自己特别依赖的人的时候，就是这样一股奇怪的力量，有残忍，有冷漠。那时，我只有在允许自己畏惧的时候才会畏惧。在这个世上，我不畏惧任何事，也不期待任何事，的确如此。然而，昨天在圣热娜薇耶芙图书馆，我又在自己的眼前看到了你的心，那么强烈，让我忍不住流泪。我是真心的。可很快，这又会成为过去。都结束了。（我想，若泽的惯常状态就是这样一种屈从的冷漠。）我给玛德莱娜·布洛玛写了回信。她活得脚踏实地，相信这个世界的现实性。我在信中写下的是若我相信这一点会写下的内容，那些伤感的语句有点像我的风格，但又离我那么遥远。（为什么我会想到莫洛瓦的嘲讽：我也会成为另一个阿尔蒂克洛[1]吗？但我已经完

---

[1] 影射安德烈·莫洛瓦的作品《来自外星球的想象故事》（1928），其中第四则故事《阿尔蒂克洛国旅行记》讲述的是知识分子和艺术家终将灭绝。——原注

全放弃了文学，放弃、简化，我再也不喜欢一切复杂的东西。我忍受它，但绝不屈从。）

失去了一种真实感……不，不能再这样下去。我必须重新激发内心冒险、行动的意志，还有这种无法挽回的感觉，正是这种感觉让我过去一年的故事变得那么令人动容。所以，我真的不会再回应雅克发出的热情呼唤、莎莎的来信、亨丽埃特的聊天了吗？

我认真地对生活作了思考，生活本身没有什么新东西留给我了。我对生活的思考完成了。现在该是化为现实的时候了。重点是，他来得太早了，从现有的情况看。我最好的状态是拥有一颗少女心。可现在，我已经成熟了。做梦的时候……没完没了！我再也不会为任何人感动，我也不期待任何事。我是不是预感到这份死寂才会恐惧？未来的四十年，我会不会像提线木偶一样活着，别人却以为那就是我？即使不为如今的这个我，至少为了曾经的那个我，我也不想这样。我过于忽略了自我反省，或许这才是一切的根源，因为我必须从自身而不是从外部找到真相，只有我自己才能给自己真实的感觉。是时候来实现我的人生了。这也许并不是很重要。但需要一种无可替代的和谐。必须按照规则来走每一步，而不是放任自由。必须看清楚我是谁，我思考什么，尽可能地渴望一些东西，需要自己，爱自己。我必须不把自己当作一个幻影。必须赋予一切以重要的意义。"其他人"对此有帮助。雅克让我相信了生活的现实性。布洛玛也是一样。还有纪德。除了我，只有他们。为了活下去，我必须把他们视为真实的，与他们交流。我想要给里维埃写信，用另外一种思维，也给若尔热特·列维写信。尤其每天必须在这里写我自己的故事，为了我自己，我必须更多地为自己思考，不能任由一切发生，而不去相信。鼓起勇气。燃起了一份对自己热烈的爱。然而不是，对自己感到满足对我来说已经不可能了——我再也无法理解里维埃，无论他说的是什么，他那么满足，连对自己的忧虑都那么满足，只对自己抱有期待——我也一样，我在寻找打开这些不可能之国的钥匙，傅尼耶也想要回到那里……"毕竟那可能就是死亡。"啊！我是谁？我是什么？这么猛烈地向前冲，我会最终找到自己的路吗？信写得疯疯癫癫的，语气不容置喙，每一封信又否定了前一封，不可弥补的决定，所有的信很快被丢弃，巨大的牺牲撕扯着我的心，我不想继续任何一种牺牲了。至少，我都经历过。我感觉到无比的欢乐，我并没有失去一切，我依然会活下去。我重新爱自己，我爱我自己，该多好啊……

我们无法知道，两个结合在一起的人他们之间的秘密是多么沉重。

——里维埃

必须想到的还有：一方面，写作的爱好，完成一部作品的渴望，在这之中，我是完整的我，这份渴望将我走过的每一步都连在了一起，不会让每一个短暂的瞬间悄然溜走，另一方面，我无视这不算一切的一切，我的焦虑那么揪心、那么真实，还有我的冷漠和不断成熟。如何调和这一切？我今天没有兴致来剖析自己。明天再说吧。

我曾想着把这个故事（很短的一幕）写下来：年轻男子——年轻女子。她说："我很烦。"他说："我们一起玩吧……"她说："我同样爱您……啊！您弄乱了我的头发。这个游戏太蠢了。""我以后再也不玩了……天哪！……怎么才能让您明白，我们不是在玩。我们都被困在这个梦里，出不去。您会看到……"（他从窗户跳出去。）某个人："您是一个人吗？""是的，他刚刚跳窗而出，这是个游戏，我得另找一个游戏。带上我，我们一起试试。"

就这样！讲述一些细微的痛苦，作为消遣。可又有什么用呢？（啊！这句话中，我以为是被杀，只是杀人而已："我们要自杀"……您把我逗乐了，愚比王）。

必须有一个人让我相信他是存在的。也许是巴吕兹……等到三月份再看吧——我不会总在对下一个月的期盼中度过一生吧？那太糟糕了！

一月二十九日星期日

　　我写了两封信，准备寄出去。这一切完全与我脱离了。还是我的小木偶人在自娱自乐。到底什么是真实的？确实很难知晓。我不希望这一生就这样浪费在一些与我无关的事情上。

　　昨天巴吕兹的课上，蓬特雷莫利的发言可笑又毫无价值。我在这份作业里融入了很多自我。而他将要对我说的话，我完全不在乎！

　　和宝贝蛋度过了一个美妙的夜晚。我们步行穿越整个巴黎，为的是省下二十法郎的车费，不过钱还是花在了剧场里，迟到了一会儿，演出的剧目并不是我们很想看的，可最后我们还是付了钱：一堂心理学课。不过我们走进阴暗的包厢时，正

26

好一出戏结束，那种感觉很奇妙。《加数器》[1] 很精彩，我们坐在典雅的剧场里，里面还有几个漂亮女观众。

我是不是只知道消遣娱乐？重新读一下作业，我发现有些段落写得很好，而且没有人能用这样的风格写作，抽象的东西具化成了一些倨傲的形象。我可以完成一部"无可替代"的作品——细致又隐晦——三月份重新开始，明年年底完工？我期待认识巴吕兹——不过也不是很着急。只要在二十二岁之前完成就可以，但必须是完美的作品。目前，先要准备考试，让自己好好活着。

---

① 美国剧作家埃尔默·赖斯（Elmer Rice, 1892—1967）的作品，于 1923 年发表。——原注

二月七日星期二

总结一下这一周：没有收到若尔热特·列维的回信，这也没有，那也没有，结束——好吧!

玛德莱娜·布洛玛对我冗长的呻吟做了回复，语言很优美——梅洛-庞蒂的话也很友善，我写信回复他，信中流露出我的伤感。我刚刚看到他了，那么善良，不太悲伤! 星期六，莫格关于莱布尼茨的讲座很精彩，还是值得花点精力了解一下这位哲学家。蓬特雷莫利捎来一句话："对于您，我后悔了"，他的言外之意真让我恼火，我给他打电话，语气很冷淡。我见了雅克。上周二，他与他母亲对我的温柔带给我几天的平静和幸福。刚才，他对我讲了他的"规划"。我全身心地爱着他，但他是他，我是我，我常常对他怀着无尽的感激，因为只有他才能让我尝到智性带来的小乐趣。有时候，我也会感觉我们俩很遥远，我一点也不想他变成另外的样子，我的大朋友，不过亲爱的他即使在我身边，也解决不了任何问题。

是他让我有了好好活着的意愿，一种偶然的、无用的存在，他就是这样活着，而我喜欢的凯塞尔在小说中描绘的也是这样的存在。这对我来说还不够：我那么喜欢阅读笛卡儿——如何把这些都结合起来？他们都不理解，这不奇怪，我自己也不理解。我给了一个乞丐五法郎，但看着脸色苍白的孩子，我只问了问他的年龄。应该要与他聊一聊，陪着他，抱一抱这个生病的孩子，可我不敢这么做。我让这些机会都溜走了。但还是要好好活着！

要是我知道我想让自己变成什么样就好了！拥有所有的智慧，完美地扮演自己的角色。这两者，如果一样达不成，那么另一样对我也是无用的。不过，应该从后者开始，这一点我很清楚。上升……什么是向上？学会互相支持吗？哦！这还不够，属于我的更好的瞬间一定要发生在未来，而不是发生在过去。这便是道德？或许吧，我不知道。

更完全的一种超脱，不过是在生命里，而不是在死亡里。

从未忘却的一种绝望，带着勇敢，而不是懦弱。

一种更狂热的梦想，但不会摒弃居于主宰之位的思想。

一种不容置疑的真诚批判，但也是化为行动的更强烈的爱。

充斥着每一秒的拒绝，但也是不断更新的馈赠。

这精神上的进步才是唯一重要的，我必须要达成——疯狂地让自己转向外部。回到你身边。这些日子没有白白浪费。

现在的你放弃了文学，不再受其影响，也抛却了羞涩，那么真诚、勇敢。现在的你比任何给予你的东西都强大，不是被占有而是拥有，很自由。

你如今是自己思想的主人，你终于征服了它，开悟了。你权衡了一切，你了解自己的能力，你已经从一切中解脱出来，没有失去任何东西，你已经准备好运用自己的智慧做出最疯狂的举动，你还是可以有梦想，什么都没有失去。

而为了迎接今晚的到来，所有其他夜晚都是必需的，眼下这一刻便是过去所有的巅峰。两年前，我也是这么热情激昂，但谈不上丰富。去年，我得到了充实，但不如以前强大了，一个个孤独冷清的夜晚，一个个放任懒散的夜晚，在这美妙的一刻交会了，让人泪流满面。

我的孩子，为何如此担心自己的时间安排？为何如此担心你将会变成什么样，而时间一样也会流逝？你若懂得生存，并抓住生存独一无二的美，你会获得极大的平静。的确，滋养这一存在的，只能是日日夜夜萦绕在你心头的起起伏伏，正是在这种不断变化的、不稳定、不连贯、有时沉闷的内心活动的基础上，才能构建深刻的精神生活，然后加以超越而不是彻底遗忘。唯有这些才是真实的，而不是那些我们写的信、读过的书、参加的考试。今天已经站得很高了，是不是还应该期待着明天会站得更高？还缺什么？稳定，自信，还有更坚决的放弃，梦想的勇气，最大程度的专注。我，以及我内心一切的美好，所有的柔情和善意，近在眼前的梦想和不可思议的冒险。

　　我，以及我的内心，具体的、突如其来的人生。我，以及对真实的沉思。我不会寻求任何外在的一致，但我会积聚一种力量，好让自己有所庇护。我如同一个小女孩，夜晚回家躺在床上，闭着眼睛，在心里默默地祈祷。拒绝这个世界，又为之献身，活着只为了这个超越自我的自我。要是这样的努力能够为后人带来生存方式上的巨大进步，或是努力过程中得到我的理智让我无法相信的上帝的眷顾，那也许就足够了。我从内心深处臣服于那些比我的灵魂更伟大的东西，要是这个东西真的存在的话。如果我只能用一种自己永远无法把握的美才能让自己变得美丽，那么我想要这样的美也是无可厚非的。今晚我爱上了你，我可怜的女孩，无论你是孤独的、遥远的、在亲人朋友眼中格格不入，我都无所谓！我理解你，不过或许明天我也会变成他们中的一员，再也不理解你，也会觉得你格格不入。

二月十日星期五

我感觉很平静……越来越巨大的平静。也许就是这种平静。

周三晚上在脏兮兮的地铁站里，我买了四十个苏的合欢花送给三个玩得不亦乐乎的小孩，内心泛起一阵深深的温柔……我只要做很少的事情，就能好好活下去。昨天，在灯火通明的路上散步，激昂的音乐让人以为走上了红毯，花店里的花簇那么美，那么香，如此和谐，似乎想与我的灵魂一起呼吸；画、精美的裙子、奢侈品或艺术品，孩子，画廊里的花，环绕着散发出玫瑰花香的喷泉沉沉睡去，我成了它们中的一员，这是一种完完全全令人惊叹的馈赠。"我觉得这些都是精髓，都是果核……"昏暗的路灯周围散发着一种冒险的味道，并不是人们期待的或者可能不会发生的冒险，而是一种已经存在的冒险。这冒险就是我。橱窗里的展品，擦肩而过的人，必须怀着百般热情才能投入其中的激昂生活，在这样的迷失里变得格外显眼和精彩。我不再饶有兴致地寻求新鲜感，不再计较，不再游戏。生活本身就是现实。我发现意大利商店有不同寻常的商品，让我想起在童年梦到的地方采集的一束束通心粉，与梅纳尔克在世界各地寻找的同样的石榴，还有绑着腿倒挂的整只乳猪，来自东方的牛轧糖，我尝到的这些奶油水果馅饼，我买的这些椴桲馅饼。明亮的房间尽头，人们正在品尝葡萄酒。迷人的宫殿里一切都很新，就像我自己复活了一般。不熟悉的街道，不知不觉间变成一股股黑魆魆烟雾的灯光。火车的汽笛声让渴望离开的人心潮澎湃，一张张脸……女人的、女孩的、恶棍的脸……细雨绵绵，地铁的轰隆声震得头上的铁皮顶直晃，蒸汽从黑色的车站上空升起，弥漫着思乡的味道——人们向我走来——归来。啊！巴黎！巴黎！人们在那里跳舞、受苦，一个辉煌的城市，有美式酒吧和糟糕的小巷，一个充满活力的城市。我在属于你的大街小巷进行了美妙的探索之旅，因为我的存在，思想渗透在这些无生命物质中，把它们变成了一部深刻的人类作品。我是如此自由，却又被赠予了如此多。美好的时光……

今天早上，我们在奥德翁的长廊下交谈了很久，对一个即使不完全理解，至少也会同情的人，说一点这些事情，会感到快乐。人不能通过等待获得认识，必须先行动，因此要在夜晚做选择。我必须寻找的是"快乐"，我将找到它，因为我想要找到它。选择：时间会让我经历，我不会知道它的结果，但一种明确无误的感觉会让我确信它的价值，即使它没有创造价值。我将拥有快乐。我的嘴唇感觉到它的存在，它是如此确定，它可能会消失，但它已经存在过，这样一种美妙的确信不会消失。

我的生命！我珍视未来的生命，你温柔、强大，苛刻、壮丽。我爱你，想要你，我说我会好好经历。一切都很好。

今天我需要的是那张平静、睿智的脸，来安放我曾渴望快乐的目光。亲爱的梅洛-庞蒂，您总是听得很认真，带着充满青春活力的微笑作出回应。我们今天很理解对方，我们的交谈触及灵魂的最深处，在征求您的意见后，我感觉好多了，"我活生生的良知"——我爱您——我喜欢和您一起在附近散步，我们见面时不由自主绽放的笑容，这种纯粹和坦率，这种俏皮和严肃，您不算天赋异禀，但您是真实的。和您一起激发出的想法再次变得鲜活，像最好的艺术作品那样激动人心，我感觉到它们就在我的指尖，我把玩它们，慢慢地品尝它们；它们也是我的生命。思想、众生以及把这一切变成一首激情的交响乐的我。

好好活下去！我二十岁。我想要快乐。是的，还是这样一个孩子，在暴风雨中边哭边跑。但要爱的话，就要爱到尝尽眼泪的苦涩为止。成为强大的人。成为勇敢的人。我可以去贝尔克度过一年。我还是不够超脱。当学生，还有不过两年半的时间。我太喜欢了，一年都不想浪费。我不是一个年轻女孩，在我身上承载了今日的整个青春，我内心无比期待的、与其他二十岁的人同样的灵魂，比任何一个个体的灵魂更为相似、更加温柔的集体灵魂。我无法摆脱这样的灵魂，如果说为了获得幸福，而不是获得快乐，我不再需要某个特别的人，那么我的孤独则渴望一种不确切的、模糊的存在。不要再去想以后的事。不要说这种存在已经结束，你又重蹈覆辙。尽你所能地让今天变得强大，明天将继续保持这份强大。我们已经超越了很多事情。我们要学着以全新的面貌活着。付出爱，热烈地爱，抓住自己，与自我讲和。

精彩的夜晚。如同去年怀有梦想的美好，但我并没有沉浸其中，陶醉其中，或只在其中尝到遗忘的味道，而是因此发现了属于自己的真相。如果把所有生命，卑微的或崇高的生命都带到自己身边，用我的梦想和我的爱去庇护他们，这难道不是一个足够美好的命运吗？莉莉姨妈和她的孩子们⋯⋯所有人。这不是身处十字路口的狂喜，而是存放大家财富的秘密方舟。与普世的生命共融。而不是完全一致的生命，那太可怕！每一个存在都是独一无二的，每一种美都有其珍贵的独特性。

神秘的努力。是的，这些词是有意义的。不是说我可以轻而易举地定义它们。而是这两年来，尽管有高低起伏，但顶住所有考验的是那些我害怕被发现是虚幻的东西。也许没有人能够了解。如果我有一天写书，那是试图让人们理解这种默默坠入一个人心灵最深处的行为，这是无论多么细致的分析想做而做不到的事，只有亲身经历才能开辟通往理解的道路，在那里世间的一切美好伴随着我们，但灵魂是简单的、独特的、自由的，依靠信仰和睿智才能完成决定性的那一步。雅克完成了这一规划的准备阶段，令人惊叹：冒险、游戏、细微的感受、难得但单纯的感觉。莫格，艺术家们唤醒了美，但是为了享受美，而不是带着美去往别的地方。庞蒂尝试过坠入，但没有倾尽所有。玛德莱娜·布洛玛与我更亲近，她做到了，但她内心的信仰，从来与我是不同的。而我呢，我想完成这项规划。全部的规划。而且，这不是像几乎所有人想的那样，对现实生活的事后辩护，而是我的生活。这很困难，因为除了内心里有，从来没有实现过。这很困难，因为一个人在移动的地面上前进，没有一个已知的地标，不可能得到别人的帮助。这很困难，因为会怀疑自己……愚蠢的梦想？漫无目的地前行……完成这项艰巨的任务，等待我的会是什么？会是谁？也许是我自己……

二月十九日星期日

昨天，第二次听《春之祭》^①，还是发自内心地赞叹不已。太美了。巴吕兹还给我作业的时候，他的热情让我感动。我在黄铜的光辉中感受到自己的力量。哦，我的思想！我的生活！哦，我自己！我想成为我能成为的样子。不知缘由，不是出于野心，而是为了创造自我，为了实现。我还是想要这么做。

还有那些我喜欢的人。庞蒂，我们周五上午还一起交谈过——完美的莎莎，在这个转瞬即逝的傍晚，在李子酒前，我原本想抱抱她，还有鬈发的拉法布里夫人^②，他们在我眼里都是渺小的，想让我一直与他们为伍，但我是要爬到更高的地方去的！这是骄傲吗？如果说我没有天分，那确实是骄傲，但若我有天分，有时我会相信这一点，有时我对此深信不疑，那么这就是清醒，而且能让我感到无穷的快乐。为什么列维为我勾勒的错误形象会让我难过？为什么我发现蓬特雷莫利很平庸，莫格也一样平庸的时候，我会担心？如果我比他们优秀，我只需要做自己，无需征得他们的同意。一周前做的这份规划很美好，我坚持这一点。我重新认识自己，我重新找到自己。我了解自己。我给巴吕兹写信，我会写成自己的书。

夜晚

这一需求，你等了许久。现在它出现了，不可抗拒，你想逃走，你害怕。显然这不是你期待中的需求。显然是这样。总是这样。

你没有想到它出现得这么突然、这么始料未及，看完《马戏团》③出来，影片里的卓别林是个天才，而你已经预感到，边看电影边流下了眼泪，杜伊勒里花园里，太阳犹如一个巨大的橘子挂在天上，天空阴沉沉的，泛白的蓝色让人战栗——这一需求如重负般压在你身上，你心碎了，你被残忍地撕裂了。可它就在那里。你可以赶走它，可它在你犹豫不决的悔恨中虎视眈眈。这一作品想要由你完成，那么伟大的作品，这是你必

---

① 伊戈尔·斯特拉文斯基的作品，于 1913 年发表。——原注
② 莎莎的外婆。——原注
③ 于 1928 年 1 月上映。——原注

须为之付出的。啊！并不因为这是一部作品，是在纸上留下的一些墨迹，而是因为你口中要说出的是生命本身；因为你注定会为诞生一个不自知的自我而痛苦煎熬。你仰着头，对这强求你的蓝天说"好"了吗？

天哪，卢浮宫实在太美了！啊！看到橱窗里红色的倒影，你还是会为之悲叹，啊！在晚风中，当你因为不确信和疲惫而无比苦闷的时候，逐渐消散的忧郁又攫住了你的心，你每个夜晚都会有这样的感觉，每个夜晚。跟在乡下的感觉一样，你小时候，突然有东西碎裂了，你就往家里跑，因为那时你还有点胆小。跟在卢森堡公园也一样，当你越来越痛苦，不堪忍受的时候，或当一种不安无声地向你透露出未知的期望，这正是生命的前夜。哦，寒冷降临，声音渐渐消失，柔和而略带疲惫的孩子们的哭声回来了——生命，我的生命。这声沉重的呼唤。沉重是因为它不可理解。不是我们所理解的那一种快乐。必要性本身不会带来丝毫快乐，但它的存在如果不被珍惜，就会使人饱受折磨。我会珍视的。而我在这些泪水、疲惫、恐惧中感受到了快乐。我很高兴，这片土地如此美好，一切也都如此美好，就这样……

不存在我生命之外的上帝，我的生命也并非通过自己的铺陈完成自我创造，而是在每一个时刻，一切都重新开始，因此，世界的美好，我的财富，我的爱、痛苦、欲望，还有我的力量，以及所有的书籍、绘画、音乐，一切都在我眼前飞逝。

每一分每一秒都是这样，都是至高无上的时刻，那些被遗忘的味道，那些书籍，我触碰的只是它们的灵魂，它们在一个个相似的夜晚里被揭去面纱，它们的名字早已被遗忘，还有我的那些灵魂都存在着，但既没有踪影也无法被找到，不过都曾经历过，成了永恒。脱离了时间。我开始感觉到这种精妙的直觉。两年来，我已经在奥秘之境中走得很远。

如果我知道自己离不开他，如果爱及其带来的幸福不能让我摆脱疯狂，那么值得好好活着。也许生命本身不会询问生命为何要结束。我流下了甜蜜的、确信的泪水。我不会再诉说，不会像梅里桑德那样在喷泉前痛苦地叫喊。我会变得勇敢。

成为一个与任何人都不同的人，这样的命运既美好又艰难。

二月二十四日星期五

　　费尔南德斯[①]昨晚的讲座很精彩，题目是"知识分子与社会"，知识分子为自己创造了一个新的现实，因为他在过快剖析了所有事物之后需要从一个可以无限延伸的内在维度逃离。非人类，超越人类，以及超越时间，只是将它作为一个出发点，由此产生对知识分子的情感依恋，很感人，而他必须意识到自己的与众不同，不顾一切地捍卫它，不能违背，也就是说，不能被带回到现实的社会——从社会到内心世界，中间没有过渡。艰难的命运，却是高级的命运，而我经历的正是所有这一切，我要把它们都写进我的小说里。

　　然而，我爱雅克。与他见面，在一起待半小时，便让我觉得那么快乐，也驱散了一下午的阴霾，我才知道爱情就是真实存在的——明日我会再见到他。可我认为，我已经到了可以调和一切的程度，那么这份强烈的爱再不会成为阻碍。而且现在它也不是阻碍。以后也无须担心。巴吕兹给我的信写得真好。我从事写作是对的。他会给我带来什么呢？费尔南德斯是未来五年必须好好认识的人。

---

① 拉蒙·费尔南德斯，《新法兰西杂志》的评论员。——原注

一九二八年三月

　　第一部分应该都用来描绘内心的图景。第二部分没有描述，写自己的思考与分析。第三部分加一些诗意的内容——精神世界的抒情诗。专门干这个，到六月份，写作，释放自我，完成它！不过这件事必须一直在我心里。挺可怕的，感觉自己被一部作品强加了一种要求，要义不容辞地去完成它。要求苛刻，没有慰藉，这个世界就是一片巨大的沙漠，我朝四面八方张开双臂，奋力抓住点什么。雅克，巴吕兹，就是被我握在手里慢慢枯萎的小草。

　　成为最坚强的人。在那些枯燥无聊的时刻，摒弃对自己的怀疑。照着那位永远离开的朋友对你说的那样做：隐藏在你的冷漠里，等待，明天你会重新绽放。相信你自己，相信你的作品，你对作品的要求应该仅仅是呈现最深刻的你自己。若是这样的空无让你眩晕，那么闭上眼睛，变得足够强大，来填补它。让昨日与今日交汇，让所有的爱人占满你的双眼。"一切都耗尽了"，你说，确实如此，忘了吧。春天到了，不过还是不太暖和——厌烦了阅读——厌烦了学习。是时候该创作了。学习阶段已经结束，不要固执地相信它会不断延长这样的谎言。

就像你在绝望中克制自己，现在你在极度的安宁里克制自己。啊！你已经到达了自己的顶峰，你可以有自信，你问：如何对待这个成长了的自己？一个永恒的问题，答案只在它本身。去吧，你能承受。巨大的焦虑——死亡是一种存在——船只在可怕的黑夜里沉沦。安安静静地，我们往下沉。剩下的是人，人付出的爱，以及他们的爱人给予他们的爱。这是一种安慰，但不是出路。没有出路，平静下来吧……

我将徘徊在虚无的入口度过一生吗？还是我将退回到生命的内核之中？我不再害怕忘记那些超乎常人的观点，但我该怎么办呢？啊！我是富有的，但我找不到付出的对象。任何东西都不是完美的，或者说，一切都是完美的。这两种论调都同样无用！不过这可能是精神对抗物质的英雄史诗，而对我来说，有时可以引领我走向更美好的未来，取得以后未知的成功，有时却让我永远沉睡？"啊！灿烂的阳光庄重地列队！"[1]我只希

---

[1] 拉福格，《大地之死的丧礼进行曲》。——原注

望有另一个人可以依赖，一个比我更强大的人。啊！不要总以为自己比别人在奥秘之境里走得更远！有人已经走到了入口，那里等着他的是疯狂！唉，我说的不是巴吕兹！也不是任何我见过的人。或许是马塞尔·阿尔兰……不，我想要一位天才，瓦莱里吗？年纪太大。

孤独！永远是孤独的！这不仅是走在两条平行道路上的孤独，而且是一个人在地球上陷得太深，不再理解人的表情代表什么的孤独。如果片刻都不忘记这种孤独，人可能会因此丧命。

把你的幻想变成现实，这样它们就能与你作伴。

一旦一个人拒绝休息，那么休息再也与他无关了。

三月二十六日

　　我重读去年的文字。我那时的内心挣扎要比今天激烈得多！我也没有现在那么独立，那时我对自己也不确定！现在我拥有我自己，我知道我是谁、我想要什么，我在实现自我。我领略过那么深刻的狂喜、那么绝对的超越，我再也不会走回头路了。未来我要经历属于我的人生。我想要快乐。什么都不拒绝。

　　我心中的众生在梦想的道路上不断延伸。每一步我都在重新创造世界。我学会了在一个世界里生活，这个世界就是我的作品。在我的书中，我会展现我生命的一部分。我热爱我自己。我将是幸福的。

四月三日

　　为什么昨天与庞蒂在一起这么长时间之后会觉得难过？我想哭——他"坐下了"[1]——冈迪拉克"坐"了很长时间，身后是他的整个过去。我也有过去，很多事情已经过去太久……我们谈论了太多关于我们自己的事——他爱我，可他完全不了解我。我是孤独的，永远不会有人明白我是多么孤独，没有一本书、没有一个人能对我的恐惧做出回应。如同两年前，我在一个我完全不理解、也完全不理解我的世界里前行，没有人帮助我。我被放逐了。

---

[1] 梅洛-庞蒂去了一次索莱斯姆修道院之后，皈依了天主教。——原注

四月六日（格里埃尔）

昨晚，我突然渴望带着这个甜蜜的形象远走高飞，它的芬芳慢慢地消散了：我与他，有着共处一室的亲密，在这个与他如出一辙的房间里，我的朋友就在这里，令人感到沉重。我渴望听到火车的鸣笛声，透过车厢门看到炽热的烟雾①，这种渴望与那声道别带来的隐隐心痛交织在一起，希望那声道别被当作永别。还有在夜晚的狂风中，短短几分钟，我感受到了闻所未闻的幸福：庞蒂，雅克，我自己，都是那么沉重，令人动容，心爱的人永远不会知道我能爱到怎样的程度。而恰恰在刚刚，尤其是在乡下静心沉思的时候，我试图抓住我自己。首先，我对自己的爱如此苛刻，我竭尽所能地抓住在时间的推移中任意一个行为便能让我忘却的自我，这种努力让我痛苦得要死——比如，庞蒂爱的真的是我吗？还有：忏悔过后一声不响地坐着，将夜晚献给即将到来的上帝的女孩，那个在方格本上记下自己的热情和犹豫，因对牺牲的坚定渴望而痛苦的女孩——还有后来那个躺在草地上，感受着赖以生存的信仰离自己而去，因而为自己的存在而担忧的女孩，她在哪里……我回想起尘封已久的童年，似乎在一个更明确的告别前夜，应该给予她所有应该给予的爱。我需要认识我自己，弄清"自我"这个词的含义。因此，我迫切地需要这部作品，它能帮助我从自己不确定的漩涡中走出来——也许是一种虚妄的需要，却和吃饭和睡觉的需求一样，我必须顺从，即便不知道这些基本的需求是否也是虚妄的——未知的沉重困扰着我，又离我而去。然后，还有这个：我对死亡的恐惧，巨大的恐惧，强烈地感觉到我面前的每一分钟都在流逝，我拼命地用时间长河里无法容纳的一切、用整个自我去填满它，我陷入了绝望。每一分钟，我都极度痛苦，每一分钟都失去了，掉落到不见底的虚无里。我长久地等待着一声回响，但从未听到。

同时：世界的陌生感，以及无力感，在那片草地上，我无法起身，我跪在地上采了一朵花，因为我不再理解这朵花、这片草地或是我的存在，因为我只是单纯地害怕，害怕到尖叫——忧虑的缺口突然在一片过于寂静的天空中大开，尽管这

---

① 西蒙娜·德·波伏瓦顺利通过了学士阶段的最后几门考试之后，陪父亲去格里埃尔待了几天。——原注

样的天空隐隐约约让人安心——孤独——我独自经历了这场奇特的冒险，到处等待我的是莫测之事，我惊惶无措，而没有什么能回应我：坐在火车里这么长时间，看着眼前的一张张脸：他们去哪里？去干什么？戏剧无情地展开，死亡接踵而至，无休无止，这短暂的时间如此虚无，虚无将攫住我们——又一次攫住我们的身体，我为之颤抖。

没错，这是首要的事：对自我的爱，面对自我的忧虑，面对世界的不安，因为我不知道自己的位置，以及我对死亡的恐惧。长久的顽念让我动弹不得，孤独让顽念无所遁形，这样的顽念让我在每一天结束时都泪流满面，感觉到一切事物都毫无用处，这种痛苦一直在……

然而，我在等待。等什么？他问我[1]。我希望这几天的逃离能完全让我找到答案。对我来说，天主教是不存在的。那什么是存在的呢？只有我自己，我想（这里我想说的也不是一个确凿的答案）。在一些瞬间，所有的过去在当下占有一席之地，用现在解释过去并受到过去的启迪；有一些瞬间，世界存在于它曾提供给我的方方面面；有一些瞬间，这个世界强烈地存在，我却极端地超脱于所有人，通过一种力量，这种力量不是臆想出来的，而是借由行为显示出来；有一些瞬间，个人上升到一种个人价值，一个人不再为自己是什么和想要什么犹豫

---

[1] 这里的"他"指的可能是梅洛-庞蒂，之后"您"指的也是他，这篇手记似乎是一份写给梅洛-庞蒂的信的底稿。——原注

不决，而是坚持自我；有一些瞬间，自由诞生于财富，甚至诞生于关系，它是对亲密关系的服从；有一些瞬间，一个人冷漠地退出一切；有一些瞬间，存在这一行为如此充分，以至于它不允许被任何关于存在的反思所影响——存在——这凌驾于一切——要求所有的一切必须服从于它；有一些瞬间，一个人处于自己的真相中。而快乐便是相信自己——无需再说别的——快乐：我想要一切，我接受一切，我顺从于最好的自我，听命于最好的一切，若一切确实存在，我知道自己已经接受了这样的顺从，我与真实站在了一起，必须一直这样活着。

其他的层级：只是精心收集和体验所有人类的幸福，同时知道这些幸福是人类的幸福，但这份幸福带来了不同寻常的激动，不过只能当作休息、假期、一个免费的礼物。还有：孤独，不是一种灵魂的孤独，知道走自己的路多么合适，其他人也会一个一个地跟着它走，这种孤独带着独处的甜蜜，有时也会互相倾诉——灵魂的孤独，是不知道其他灵魂的存在并对此无从知晓，所有经历无法与他人言说，它已经走到岸边，从那里，还能回到自己的兄弟身边。还是会感到一种疲惫和绝望，因为无法言说，因为没有明确的迹象，没有依靠，因为不太理解……（因此，有一种被抛弃的感觉，几乎让我觉得是"极其可怕"的事，总是害怕别人不理解我，害怕别人想可怜我，这是我不能忍受的，因此我突然退缩，避免他人任何同情我的举动。）我已经在等待这一切：让快乐驱散恐惧，让我变得越来越确信，愿每一天让我变得愈加仁慈，也就是说能够更全身心地付出自己，更好地掌控并超越这一切，我将因为这份馈赠而变得更富有——充实自己，更加欣然地承担起这份重担，而我的生活也终将成为一种接纳，接纳被赠予的自我，获得一种无比确信的自我进步。这样的体验把我带到了不同寻常的道路上，一切都无法预料，绝望消失了，我可以对一切都抱有期待：我觉得一切都是可能的，这是切切实实地迈向自我的一步，真正的自我，或者是一个我也不知道是什么的东西。这一步可能会成功也可能会失败，因为迈出之前，对其结果没有任何思想上的预判，这是让人觉得荒谬的一步，会让那些只凭我的外表来评判我的人觉得我大部分的态度有多么疯狂。这就是为何我那么需要一种百分百的信任，能陪伴我走向荒诞。等待我的是什么？快乐。确信吗？或是死亡，突然揭示了一个真相，而我会在不知不觉中走向它？或是空无？此时，任何预感在我看来都像是骗局。为了确认这一点，我需要一种实实在在经历过的相遇——岁月已经证实了这样的经历，这也是为何我能鼓起勇气向您诉说去年年初我对自我还不确信的想法。跨出这一步的困难在于，我必须要相信它才可能做到。若我退缩，我把它称为理想地建构了一种因无法找到一样根本不存在的东西而苦恼的精神，无论如何，我需要一些证据（承认……）来让自己安心。这样的证据包括：首先，与我生命的初次接触让我突然受到启示，它给我的内心带来了巨大的波澜。接着，我整个生活的方式经历了突如其来的转变（正因此，我开始写日记，来审视、试着记住这些我遗漏的事，我强迫自己过着苦修的生活，甚至因为过于艰苦而无法完全坚持下来，我也开始感受到这样一种全新的对孤独的渴望，经历比我之前所有预想过的更高级的事，与快乐并不太相关的事）——这一切，既不是从哪里读来的，也不是碰见某个有着相同经历的人，让我有了这样的想法。还是要提到去年，我的感情生活翻江倒海，想法消极负面，令我饱受煎熬，我不再能感受到生活的趣味。这样的状态很少见，只是让我想起曾经有趣的生活，让我感叹生活的趣味已经不再。而今年，当我试图——受到您很大的影响——放弃感受，而是更严谨地进行思考，意料之外但又值得注意的是，我又找回了这样的生活和确信，它们与来自理性的生活和确信完全不同，却又能适应理性的规则并在努力进行理性思考后有所补偿。曾经的经历又回来了，在哲学之光的照耀下，它们被无限地放大，哲学为这些经历加冕，我刚刚把哲学描述为最完整、最全面的经验。在普罗提诺的思想中，在圣十字若望的著作中，我发现了一些句子，让我震撼，我一下子就认出来："要去一处未知之地，必须经由一处未知之地……"但平常我没有发现任何类似之物：既没有普鲁斯特的"永恒"，也没有终结布兰斯维克思想生命的"清晰"，或是基督教奥义中的无声舍弃与被动性。当然，我不会把任何事物建立在外部的某样东西上，当然，这不是一种情感游戏，我对此足够了解并能加以区分，情感可能不会帮助我区分，而只会阻碍我。这一切有可能被完完全全地臆想出来吗？是一场持久又精心设计的骗局吗？您知道这个问题对我来说有多重要，我希望您能不偏不倚地告诉我。

我那么强烈地渴望能单纯地"任由自己活下去"，但这种渴望又会随着快乐或难过而游移不定。我会不会变得更真诚、更真实？

我不知道，我害怕，让我徘徊不前的不是心理上的好奇，我关心的是我生活的真正面貌又是如何的：是我在与一群人共同思考、共同感受的时候展现出的面貌，还是我迷失在自己的古怪里不知所措时的面貌？

四月七日

　　的确如此。我也明白，可以把地球仅仅当成一个途经的地方，低着头沉浸在美好里，或许温柔地接受这样的美好，但不会过于依赖，因为内心已经被激情填满。真实在哪里：是坚定地相信一种奥义而无视当下的每一分钟，还是把每一分每一秒都牢牢地抓在手里？雨点落下的时候，头脑也清醒起来。我相信昨天所说的进步，我只相信内心的现实。我在草坪的每一个角落找回了坚定的梦想、兴奋和对美好往事的回忆——什么都没有消失，过去一直存在着。

　　心灵的内在美与超越美是不同的。人与人相遇中感到的悲伤曾充斥着我十三岁时的某一天：能把这些相遇看作是暂时的就好了——比如和庞蒂在一起的这一天：它不能在任何一个彼世中延续，令人痛心；只是以彼世为代价的一个毫不起眼的瞬间，令人痛心。我想象着一个没有信仰的女孩若是遇到一个只为信仰而活的男孩，该承受多么长久的折磨啊：害怕自己只是一种手段，一种诱惑，只能被当作一个需要拯救的灵魂……越来越无法理解天主教的教义——反正这不是我想相信的。

四月十三日（巴黎）

　　烦人的晚上，我只能靠担心墙上的一个黑花瓶会不会掉落来平息自己的情绪。我刚刚重读了纪德的书，我也一样，很饥渴。我接受自己所有的存在形态或者粗俗的欲望，今晚的欲望就是逃离这个我不喜欢的家。夜晚呼唤着我，呼唤我去我不会去的地方。爵士乐队，凉爽的露天座上的冰激凌，闪亮的灯牌，皮草大衣……我想流泪，只有这样才能至少让一样明亮的东西打破这间房间里的烦闷。我希望我的心能在这栋雅克缺席的屋子里狂跳不止。深夜的呼喊，那些离去，那些欢愉。我的生活已经规划好了，我的作品在进行中，我爱众生，我对万物怀抱希望。我可能再也不会遭遇这么幸福的奉献，这么荒谬的要求。请教教我怎么能变得热烈，平静的幸福让我感到害怕。或者不如说狂热，奈带奈蔼。我饥渴。

四月二十六日

　　"还有一些充满敌意又吸引人的领域……"我也同样，既会在这样的领域耕耘，也很热爱这些领域。我经历了艰苦的斗争，获得越来越多的东西，但也变得越来越疏离和冷漠。在这个沉重的四月的下午，庞蒂与我之间有些距离，因为他信仰的天主教是我排斥的。智慧给我带来了痛苦。我清楚地知道，我无法找到一种对世界的描述能与我相匹配。在我之外愈加不可能，只能在我内心找到。孤独。厌烦，还有骄傲、力量，向着快乐一步步迈进，我会慢慢地获得快乐，但是会因为只能指望自己而经历苦痛。在我写的书里，我对自己说，我重新创造了自我，我重新创造了我的世界。我能给予他的，只有这份爱，别无其他。

四月二十七日星期五

与梅洛-庞蒂和默西尔小姐聊天。问题是："这很有趣吗？"答案一（暂时的）：不有趣；答案二（确定的）：它具有一种明确的价值，以及具有某种价值。可今晚我的看法呢？好吧！这一切明朗了许多。我认为默西尔小姐说得对，我们能做的最好的类比就是："形而上的直觉"——也就是说一种认识的价值，一方面来自理性思维，另一方面来自情感、艺术直觉，这两者互为补充，需要把两者结合起来并超越它们。这就像用一种感性的视角去看待非感性的、包含理智内容的事物，但赋予它一种完全独特的外在形式，将所有思想的能力化为一种行为，这种行为是它能在自我身上企及的最高点——最高级的认识。在那里，我面对一样最具自我特征也最属于我的东西时，也达到了最为自我的状态。整个认识本身绝对不同于单纯的理性认识，也不同于单纯的感性知识，另一方面也绝对不同于神秘经验，因为它与任何超验现实无关，而只与我的思想进入所有的既定时从给定阻力出发重新创造出来的东西有关。"神秘主义气质的反面作用于人类的层面上，"她这么对我说，"有趣的是两种直觉性和被动型的特征在这种情况下是分离的。"其实，这是一种积极的直觉，因此我可以看到这种经历与圣十字若望的经历有着惊人的相似之处，后者是由一位理智的人来描绘和解释的，但我也从中发现了一些差异，那就是在圣十字若望那里，会有神的直接参与。

然而，我看到了另一种价值：基本是道德上的，同时，这种认识是我内心生活中最崇高的时刻，它摆脱了所有更低价值的东西，成为一种力量、一种快乐，无论什么都不能损害的——快乐。

因此，必须要好好考虑这些：这不是一种疾病（如果思想不被简化成身体，为何认为思想的这一瞬间是属于身体的？）。这不是毫无意义的胡言乱语，也不是所有问题的终极解决方案，或自我的完善，或达到绝对，等等，而是：我可以通过自身达到的最高级的精神体验，因此这是确实存在且有价值的某件事。这件事通常融入我的全部生活中，它主宰着我的生活，但并不超脱生活的范畴，而且它的价值有限，总之我就是唯一的衡量标准（多么美好的夜晚，如此清醒、平静，既不兴高采烈，也不垂头丧气——不偏不倚）。我想正是因为没有接触过任何神秘事物，生活的方式才可以是多种多样的——痛苦或快乐的，它们的本质内容是一样的，有固有的孤独感，把众生看作一出形而上戏剧的演员，等等，不过形而上的背景是不同的：或者说我窥见了死亡，被征服了的命运的终结，以及这个世界所表现出的脆弱，这个世界依托着我的思想，我有限的思想，以及断断续续的信仰，它还承受着看不到明天的危险；或者相反，我窥见了这场伟大的征服，精神的胜利进军，以及我看到它的那一刻所感受到的对永恒的确信，不再是痛苦，而是快乐。

始终如此：思想活动异常激烈，这使人对那些不封闭在其活动范围内的东西感到陌生（拥有身体的陌生感，时间的陌生感，空间的陌生感，等等）——自我的完美统一——独特的宇宙观，将宇宙简单地看作是一个充满抽象斗争的舞台，这些瞬间从而有了某种优越性，因为思想具有优越性这一不可辩驳的公设而得以确认。但是这种优越性也是有限的，至多是自我更完美的实现。这一切有着思想所具有的重要性，人所具有的重要性。但这种重要性是什么？

在基督教的世界观里，唯一的价值可以体现于让一切服从于看起来更好、更真实的东西的意愿。所谓消极的部分，即拒绝不值得依恋的东西。盲目的良善意愿，其价值是道德层面的。在康德或后康德的概念中，如果战斗没有在天上取得胜利，那么它只是或多或少完美的成功，令人尴尬的是，这一成功只能由完成它的思想对它进行评判。无论如何，我在这里再也看不到有任何东西如此悲壮，如此独特，如此含糊，如此虚幻——一个存在的事物——迫切地存在着的一个事物（哦！"这一声呼唤，让我们默默无言、穷其一生去试着理解"），但仅仅如此。

理所当然要给它属于它的位置，最重要的位置，还要以它为基准检验其他所有事物的价值，因为无论如何，倘若人在这个世界上有一席之地，不管是上帝分配给他的，还是他自己构建的，那么首要法则只能是自我实现，当得起这个位置，充分地挖掘自我，但又不能把人的东西神化。在我看来，我已经很好地理解了这一点，没有更多的问题要问，没有更多的忧虑，即便这发生在我身上，我也不会着急上火。

（需要注意，这些瞬间与智力的训练、内心的专注有关，这是必要的准备——从这个意义上说，这些瞬间是有价值、有吸引力的。但是这些瞬间相互之间，以及与先于它们的瞬间之间如何连续，这些问题该怎么解决；而且它们有着一些非理性的特征。）让人感觉会一直经历这样的瞬间——这并不是一种错觉，因为本质性的问题以一种前所未有的激烈形式，进入我的思想——因而智力完善、理性思考的状态似乎更偏爱那些不予以思考的人。

为重新陷入更多与人相关的事务而焦虑自责，这是处于人类境遇的绝望。我渴望保持思想与身体分离的状态，但超越时间、超越物质的纯粹精神是一种无法实现的妄想。

这是我追寻的方式，或者说找到的方式。无论上帝在哪里，是超越世界的还是内在的，只有在那些瞬间，我才与上帝最接近。我知道这一选择的任意性，可以说：一切都同等重要——和酒精的作用一样——这是我的选择。我的生活获得了很大的安全感、精神上的安宁，因为我不能给予更多，不能遇到更好的、更必要的、更顽强的，更有灵性的我。世界与我生命中的所有时刻相对于我变得可以理解，在与相对于我的命运变得合理。这是非常重要的征服。但并没有抹去（就像在《思想》的奥义中所宣称的那样）这样的疑问：这一命运本身有何意义，为何是合理的？不，任何事物都无法阻止思考，即便不是我提出这样的问题，也会有其他人和事，不，无法阻止思考，要尽力找到答案。或许这样才能抵达一种绝对，但绝对是可以被想象的吗？

坚定而非绝望，与生活和解，每天内心保持平静，愈加稳定和确信，总之一句话：内心的满足往往以美妙的快乐为句号。但这不是遗忘，不是由生活本身证明的合理性，不是这快乐带来的盲目，而是在这份平静中依然能听到叹息。不再反抗，并不意味着会因此一味屈从。

四月二十八日

昨日我好好调整了自己的精神状态。因此感到平静。

今天，我见了雅克——感到平静、快乐——我的爱人在索邦的图书馆里读一本圣波拿文都拉的书，边看边笑，独自一人，不可抑制，让同在图书馆认真学习的学生频频抬头。孤独的笑声一点都不残忍。哦！困境！哦！每一个维度都很痛苦！阿莉莎！生活很奇怪，既滑稽又温柔，亲密地联结着过去，又兴高采烈地奔向未来，乖巧又怪诞，严肃又轻佻，无限美好。雅克，便是当下生活的全部。第四个维度——某种形而上的激情。能成为智者和诗人，该是多幸运的事。"哦，多么宝贵的神秘诗……"这句话并无深刻的意味，却深得我心。宝贝蛋的画。雅克的梦想。我自己的荒唐事。找到这个可以生活的世界，令人快乐，很快乐。只有与他在一起，我才感到快乐——和他在一起，认真地活着就很有趣。只要我们在一起谈论死亡，即便死亡也不可怕。这是一种对抗未知的默契。我曾经多笨哪！我不需要被砍断手脚。我可以在精神上继续进步，我已经离他很近了。哦！那么美好的生活，那么睿智、忠诚的生活（忠于共同的过去，忠于我们自己），我们会拥有的。很轻松、快乐又平静（地唱）：不，我们不是，不，我们和其他人不一样。

最美好的是，这一切都是严肃认真的。

五月一日

昨天与梅洛-庞蒂见了面，我还带他去了莎莎家——在一起度过了美妙的时光。还见了我喜欢的玛德莱娜·布洛玛，她与我那么亲近，她是我的姐妹，亲爱的姐妹。今天见了雅克，匆匆见了一面，我不会再见他了——他认真起来挺好——看上去在眼下这一刻，他是爱我的。这份强烈的感情如今变得单纯、平静，而以前总会患得患失。我只是渴望告诉你这份感情，用我能用的词表达出来。

五月十一日

家庭闹剧①。雅克出发了②。我很伤心。我的生命停歇了，只为了好好聆听这份伤心。（可我能感到我的力量，我很高兴有这样的力量。）

但是，我想说，今晚，星期六的晚上，一切都过去了，雅克终于显露出了自我，我们的友情显出了最真实的模样，一种完全不同的生活在我眼前展开了。星期六的夜晚，我们去了一家酒吧③，我坐在雅克和里凯中间。我点了一杯不加柠檬的马提尼，米歇尔，"来杯一样的！"是他付的钱，他送了我一花瓶的铃兰花，不过花瓶被我打碎了，这位做事认真的年轻男士一周后就要出发，他不喜欢女人。他自称雅克。来吧，跟他说说，米歇尔，他还是这么善良，我也很善良！我还是这么善良。瑞典人点了一杯鸡尾酒，以为我是卢森堡人——你会去跟这位先生打拳击吗？我没有心，可我有脑子。米歇尔，我扔了你调好的酒，因为雅克示意我要小心，不能让自己的名誉受损，对方已经身败名裂，他们拎起他的脚，友好地把他请出了酒吧，而法律系的学生正在找自己的书本。一个忧伤的女人，戴着蓝色草帽，吞下用白兰地浸过的樱桃，缓解自己的低迷情绪，之后又去了维京人酒吧。我付了三十五法郎，赔偿砸碎的那些酒杯，这么做，大家有些不满。我们一起打扑克。后来又吃了青薄荷，因为雅克想让我吃点什么，我的小雅克，他第一次拉着我的手臂，一边还拉着他另一位朋友的手臂。我看着他的手，心想"再也不会有这样的时刻了"，这一刻太美好了，彼此的心袒露无疑。

第二天凌晨又去了塞莱克，他们陪着我，我双眼通红。雅克说的话和他的人一样让我感动。"尊重尤其困难……"雅克。

庞蒂，还是叫他莫里斯吧，是挑剔、讲究的人，他是我的朋友，亲爱的大朋友。而你，雅克，在未来你离开的一年里，我选择思念你，我选择陷入痛苦，几天之后，我会重新开始学习④，但我不会停止思念你，我会给你写信，我会再见到里凯，我会再去斯特力克斯酒吧，我会在等待中默默地爱你。

---

① 跟雅克一起"痛饮"（下文会提到）之后，西蒙娜·德·波伏瓦直到凌晨三点才回到家。她的父母去雅克家找她，后又回到家等她，西蒙娜的母亲责备雅克坏了女儿的名声。这一幕让西蒙娜很痛苦。——原注
② 雅克去阿尔及利亚服 18 个月兵役。——原注
③ 斯特力克斯酒吧，侍者名为米歇尔。——原注
④ 西蒙娜·德·波伏瓦已经获得了哲学学士学位，她决定继续深造（也就是今天所说的硕士），同年她既要递交申请，也要参加教师资格考试，这样她可以省下一年时间。在莱昂·布兰斯维克的建议下，她决定研究莱布尼茨的理论。——原注

五月十四日

　　我们之间已经没有要说的了。你会给我写信。不，我并没有非常痛苦。我要重新开始学习，有你的生活与没你的生活不会有差别，除了晚上六点之后的时间。我等待着一种折磨在不经意间突然爆发。冷静、平和，但头顶压着的是随时有可能出现的空无。我更强大了，而且任何事物都不能把我们分开，你已经深深地刻在我的心里。不过我还是有些担忧将来。明年见，雅克。

一九二八年六月七日星期四

突然，星期二那天，有什么不可能，上帝啊，您有什么不可能做到的？星期一的三个小时里，我呼唤所有让我远离您的东西。而后我突然无法控制自己，而您就在那里。昨天晚上，我跳着舞，和与我如此相似的达尼埃卢一起，您在那里。今天早上，在街上，在教堂，您在那里。在经历了也许来自恩赐的冲动之后，是什么阻止我说"是的，就是您"？您最后会不会回答？而我会承认这个答案吗？或者说，像很多时候一样，它只是明天会破灭的希望？至少要抓住这一刻，我内心的一切都愿意接受。但如果确实如此的话……也是合情合理的。我不会做出任何反抗。我会找到自己完整的位置和属于自己的快乐，还有完美的理由。对我来说，一切似乎从来没有这么符合我的心意过，而且，再也不会有令人窒息的烦闷了。

相信。不相信。有什么区别？我想低下头，在您的怀中哭泣，说一句"我相信"。然而，其实什么都不曾发生过，我知道的不比去年更多，不比一周前更多，我什么都不知道。这句话意味着什么？说一句"我不相信"，这句话又意味着什么。我的上帝，我的上帝。只是一种毫无价值的情感吗？以什么名义对此进行判断？而这可能是为我提供的一次机会。信仰。在空无中确认？不，要听内心的声音。

六月十四日星期四

　　雅克还没有回来。我不太思念他，我活在他心里。我无边、沉静的爱。雅克。今晚，从未有过：永远，雅克。我与庞蒂通信，聊爱情——想象的故事。读小说、做梦、隐隐约约感受到生活中的爱意与激奋。尤其执拗地坚信这个希望的存在。今晚仍然如此，充满激情的一晚上，我读了巴雷斯、帕斯卡尔、《效法基督》、费尔南德斯、哲学，整个地球，或许还包括您。

　　泪水。泪水意味着什么？可像现在这样，当我很平静，不受疲惫折磨的时候，泪水就失去了价值吗？或许还是有意义的？哦！单纯地相信泪水，在完全放任自流之后听命于爱的冲动，其他的都不再存在。您叩击我的心门是不是一场徒劳，我会让赠予我的那些瞬间从指尖溜走吗？刚才，这一欲望充斥着我的灵魂……可众人，他们的努力，智慧与美，我无法同意将它们摒弃，赋予它们一种短暂的价值，或相信这场斗争在天上已经胜利。撕心裂肺的痛。我害怕。这样的欲望，这样的拒绝。"我所爱之物并不相互有爱。"哦！无论如何，是上帝摧毁了人。而我爱众生。带着悲剧色彩的忠诚，因为终究只有上帝您才是快乐的化身。

完全信赖您？可若这只是一句空话呢？我相信您吗？只是您在我眼中不是不可能存在的，我内心有一部分是想要相信您的。（不止如此。上帝，要是您存在，今晚我不会放您走，除非您告诉我答案。）

一九二八年六月十四日

人的努力，很伟大。慢慢地，一点一点地累积，通过思想征服世界，创造人们所爱的东西。但若是有一个人已经拥有了一切，那么一切努力都是白费。我宁愿转向他，向他索取一切，而不是辛辛苦苦地创造一切。他若拒绝呢？若必须要我自己去争取呢？哦！这就如同一个孩子被人逗弄，去做一件被人看重的事，谁知那只是大人们用来取乐的把戏——奴隶的把戏——他望着主人们，心情沉重，因为自己只是一个孩子，他的力气跟大人们的力气相比，不值一提，却也是实实在在的，而他拥有的也只有自己的力气而已。（恰恰就是这样的印象：帽子挂到树上，小宝宝太小了，够不到，但他还是想尽办法，妈妈来了，笑着拒绝帮他拿帽子，但妈妈是足够高的，小宝宝刚刚所付出的一切努力瞬间变得可笑、荒谬——痛哭。）

在我看来，这无关道德，而是一种修行：智慧与自由，理智主义。除了思想之外别无其他价值，内在的进步，向精神领域的迈进。并不是通过智慧收集思想以外的经验，而是将这些经验知识化，将其分成不同的等级，理解其内核，如同一种正在被塑造的物质，但改变得极为彻底，以至于在极限情况下，物质和形式不再是分离的，必须统一起来加以考虑，如此一来，一切才能完完全全化成是我的，一种情感并不是发生在我身上的意外，它有自己的位置，它不会困扰我，而是为我开辟了一条全新的道路，让我获得各方面的成长。

我生命中的一切也不过是：欢愉、情绪，只是在当下的个人活动——上升到情感、意愿以及实在且超越时间的持久的获得，它们被理解、被支配，更在场，因为被更好地理解，却不那么受控制。我喜欢自己获得这样的进步，在这些直觉中智慧可以被感知，而不仅仅是被理解，它们与我融为一体，我直观、完美地看到我的内心世界慢慢形成，而一切引向这些。或许是冷漠的，甚至是无情的，但这就是我。我想，我给出去的钱，并不是受同情心的驱使，我给钱的时候只是单纯地想要摆脱。这份爱，不是因为它是爱所以有价值，它不单单是一种现实，而且因为思想与意愿能把爱变成别的什么，因为在我经历的斗争中，爱能成为借口，为了我自己所经历的以及因为它我所创造的一切。因此，我的肉身只有健康的时候才有价值，若健康，我就无需太顾及它，疾病与奴化的激情一样，都是不道德的（除非另一场斗争因此展开）。就众人而言，我喜欢他们思想方面的努力以及因此获得的成功，这些成功带给我帮助，好让我构想属于自己的世界，他们的作品已经充分显示了他们的才智，而同样地，我也能淡然处之，只欣赏这些成功本身，而不去计较这些成功对我有没有帮助。

众人，一个一个都如此吗？这些人，是将天分放在了生活里，就和那些把天分放在作品里的人一样，这一行为已不单单是其行为本身，而转化成了一种内心活动（雅克整个人）。这些人是为他们所代表的一切而活（比如佩吉）。（对于这些人来说，我的爱是我的一部分，仅此而已，一种"直接的既定"，如同爱之于我，这是个人的深情，不是一种更为抽象的、我想方设法要去弄清楚的感情，这份深情，在我看来是合理的，即便上帝存在也是如此，因为正是上帝创造了这些人。它与我对自己的爱、对妹妹的爱一样合理，创造爱——因为深情指的是对接受爱的人付出的深情，我无法解释的是对创造爱的人付出的深情。）

对我来说，人只与精英画等号吗？的确，我只喜欢与那些思想上与我相当的人（我并不是指智慧，比如雅姆在诗歌上的造诣与普鲁斯特在心理学上的天分是相匹敌的）为伍，并对他们怀有尊重和隐隐的爱意，他们能带给人启迪，用不同的方式解释清楚那些没有价值、在思想上无立足之地的既定之物。其他人呢? 无数的其他人: 他们便是这既定本身, 我能从中找到一种能让我喜欢的形象, 一个微笑, 一张面孔, 这种奇怪的回答方式, 他们如同这朵花, 这种耀眼的色彩, 可确实不是我的手足。有时只是有点像不幸的人 —— 与我们一起受苦的兄弟 —— 由于我自己的苦难, 我知道, 我会喜欢上这个又笨又丑的姑娘, 但这是就我内心最本能的、最原始的那部分来说的, 以我们所共有的一种天性的名义, 而不是以我为超越苦难所付出的努力为名, 或是以我心灵之巅的名义。

我没有所谓的善心。基督教的道德观完全是另一回事, 过于仁慈, 甚至让我觉得接受这样的道德观是可憎的。

一九二八年八月二十八日（梅里尼亚克）

我收到了梅洛-庞蒂的信，我跟他说起了假期的乐事：我非常喜欢的利穆赞，放松的心情，心中的雅克，除此之外，还有在韦泽尔河畔进行的这场辉煌的网球比赛，降临在乌泽什的金色夜晚，身边是英俊迷人的冠军，他们是布瓦耶-沙马尔家的儿子。佩尔佩多的歌声，尤其是梅里尼亚克，还有这里如此清新的草坪……他让我心绪不宁。我的第一个反应是远离他，远离与他有关的一切。我感到了心里的刺痛，又想起了曾经的那些狂热，去年便开始读的书，这些都告诉我要谨慎对待。这很难：是不是为了这份快乐，我将抛开所有的绝望、呼唤、内心的紧张和难过及其承诺。而我是不是会为了这份自我实现的骄傲，拒绝放弃和牺牲，尽管这么做真的能让我们合二为一？

雅克，我会以一种抽象的方式谈论你，厘清一下。对不起，你还在这里，我的朋友，你还在这里呐喊，你越过我的肩看着我写下这些文字，不管怎样，我喜欢你。这并不意味着我像去年一样对你采取防御姿态，而仅仅是我自己整理一下想法。

我活着，经历了一段时间，很长时间，日复一日，陶醉在一些微不足道的小事里，把自己奉献给所有身边的事物，却从示反躬自省。回忆、欲望、某一瞬间的幸福。我无法放弃其中任何一样。我想起自己精神上的规划：不拒绝任何存在，但也不屈从于任何存在。去年也在这个时候，为了拯救精神的自由，我做出了想象中的、但同样心痛不已的牺牲；同样地，一天夜晚，我读佩吉，透着微微卷起的窗帘，我沉浸在年少时的梦里；而今，为了确保我掌控了生活，我似乎放弃了一切有关它的思考。思辨，决心，内心的出发，或是谎言？哦！该如何才能调和心中这两种完全相悖的倾向？它们一直在撕扯着我：一边是热衷于苦涩、孤独、斗争、敌视一切，一边是渴望放任，任由自己活下去。我能让自己的内心充满无懈可击的骄傲，同时洋溢着不受控制的激情。这两者，我都喜欢。我时而屈从于前者，时而又被后者所左右。

这是我去年下的决心，现在必须继续保持。因为我能不依赖雅克，我说过：我可以接受，但会更艰难，我又一次感觉到面对幸福时我的不安：我会在得到幸福的同时又不迷失自己吗？还是说，如果我忠于过去许下的诺言，就不要去追寻，而应该好好想想现在我想要的是什么。我想要这份前所未有的成功，那就是待在雅克身边的生活。那天我重读了傅尼耶，重温了他那些海市蜃楼般的不可能之梦，令人痛心的失败。我希望我的生活是我梦想中的样子，一个成真了的梦，疯狂的行径，是优雅、独立、内心饱含柔情，"我回来的时候，把事情办好"。

我还希望自己的思想、进步与雅克无关，包括我的作品。我不那么渴望他了，我不那么依恋他了，但我不承认这是所谓的间歇性发作的心理反应，在费尔南德斯的帮助下，我明白了我感受的并不完全是我们两个人之间的爱恋，我知道我依恋的其实是内心的自我。当我发现爱情上的春风得意让我与另一些即便更苦涩的丰富无缘时，我重新审视为反抗所做出的努力。我知道，一旦最初的迷惑消失了，以后我会为没有服从我内心的这种要求而感到深深的痛苦。是的，内心深处，我渴望再一次听到这样的呼唤，"让我们默默无言、穷尽一生去试着理解"。我是一名知识分子，必须继续下去（哦！听了费尔南德斯精彩的讲座之后，我很兴奋，做了这样的决定）。正是因为我发现了思想的崇高，我才摒弃了宗教。至少，我要忠于这份崇高。我渴望能获得这样的崇高，我不会说：不重要。很难。因为在这方面，我能依靠的只有我自己。可即便雅克也会指责我过于懦弱：厌倦了探寻吗？来吧！巴雷斯、纪德，他们都不是你的导师，不是吗？你已经重复了无数遍你想要什么：不为任何事所左右，而要将它们牢牢抓在手里；我的女孩，重新背上你的行囊，你已经歇了太长时间，已经生活在自己之下太长时间了。

你害怕，不是因为无法做到，而是因为需要付出辛劳。你很清楚应该如何做。没有新的出路能调和你内心的这两种需求，而你已经学会将一种需求置于另一种之上。也不应该硬生生地挺住，不应该在你激情澎湃的时候施加任何约束，不应该要回已经付出的东西。看着这封信哭泣，与你爱的人交谈，不要无视他的存在，不要无视珍贵的过去，不要无视值得被爱的未来。写给他的信，一个字都不要改。守护好你的幸福。当这些存在不再需要你的时候，你也不要满足于缩在角落，不要用再次感受到对它们的期望来哄自己入睡。爱吧，但永远不要说"我付出了爱，这就够了"。找回另一个存在，也同样找回真真切切的你的存在。这几乎是对他的羞辱。他从未教给你灵魂的衰弱。我们只想背好自己的行囊。你懂得这样生活，那重新开始吧。

我将不会排斥任何快乐。我将尽我所能让自己的生活尽善尽美。我将满怀着爱对待所有流逝的一切。我会变得鲜活、炽热、从容。

我不会再为它们把自己弄得七零八落。我的头脑将是完整的。我的精神活动一直需要我。沉思。每天我都要写作，和过去一样。学习，之后会利用闲暇完成作品。敞开这些门，不再陷入混沌，把握好自己的生活。

我承认，这一个月以来，我有一种挫败感。我害怕之后会一直失败。或许激情、悲痛都不可能持续一生，但我的一生必须要能承受我对自己热烈的爱、我内心的需求，甚至平静地接受我对其他事的担忧。

　　我清醒过来，的确，要是雅克死了，我就自杀，因为没有他，我活不下去，但我也绝不能放弃生命中与他无关的一切。（我坚信在这个规划中还有别的漏洞，我坚信当我陶醉于幸福的时候，我便再不会这么严谨冷峻。可我还是希望能恢复清醒，就像这一刻那么清醒。）

八月三十日

啊！说起来……若我们停一停脚步，不再那么追求崇高……（怨诉的调子）该多好。这也是一件出人意料的事情，如此巨大的幸福竟然会降临到我身上，整个乡间都在对我微笑！很不平常……今晚我更加认真地迎接这份幸福。我不那么害怕，我把它置于高处。我的整个灵魂只是一首在温情中绽放的赞歌。莎莎把我比作一辆全速冲刺的汽车，确实如此。有时，我非常害怕螺栓会崩裂，但这也不是飘飘然。在我的一生中，这真是生命能带给我的最美好的时刻。

手记第五卷完